Super Jan

en het griezelkasteel

Lees ook:

Super Jan (deel 1)

Harmen van Straaten

Super Jan

en het griezelkasteel

Pimento

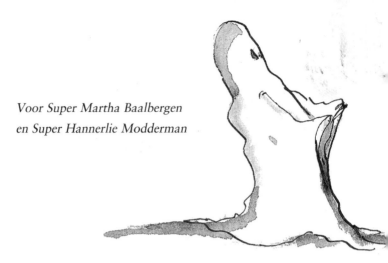

Voor Super Martha Baalbergen
en Super Hannerlie Modderman

www.uitgeverijpimento.nl
www.harmenvanstraaten.nl

Tekst © 2010 Harmen van Straaten
Illustraties omslag en binnenwerk © 2010 Harmen van
Straaten
© 2010 Harmen van Straaten en Pimento, Amsterdam
Omslagontwerp Mariska Cock
Opmaak binnenwerk Peter de Lange

ISBN 978 90 499 2400 3
NUR 282

Pimento is een imprint van FMB uitgevers,
onderdeel van Foreign Media Group

Inhoud

Super Jan keert terug 9

de notaris

Meike

Professor Duisterberg

Mevrouw Swart

e butter

Meneer
Stromboli

Mevrouw
Stromboli

Super Jan

Super Jan keert terug

Jan, Jimmy, Ruben en Lotte lopen naar
huis.
De laatste schooldag zit erop.
Ze hebben nu vakantie.
'Waar ga jij naartoe?' vraagt Ruben.
'We blijven thuis,' zegt Jan.
'Af en toe gaan we een dagje naar zee.
We krijgen een nieuw dak, dat is heel
duur.
Volgens mijn vader moet het nu echt
gebeuren.
Het dak is net een vergiet als het regent.
We moeten dan onder een parasol eten.'
'Best wel ongezellig voor jou,' zegt
Lotte.

'Wij gaan allemaal weg.
Ik hoop dat het niet te saai voor je is.'
'Tja,' zegt Jan.
'Als het maar droog blijft.
Anders wordt ons huis een zwembad.'
Ze komen op de kruising.

In de verte zien ze de toren van Lont &
Co Brandverzekeringen.
Bartolomeus Lont is de zoon van de
eigenaar.
Hij heeft twee heel gemene vrienden.
Lelijke Lucie en Gluiperige Gerrit.
Het waren de grootste pestkoppen van
de school.
Maar nu niet meer.
Daar heeft Jan voor gezorgd.
De avond voor zijn achtste verjaardag
zag hij een vallende ster.
Als je een vallende ster ziet, mag je een
wens doen.
Dat heeft zijn moeder hem verteld.
Hij wenste dat hij heel erg sterk zou
worden.
Net zo sterk als Superman.
Jans wens kwam uit.
Hij werd heel sterk en dapper.
Maar alleen als iemand in nood was.
Anders werkte het niet.
Jan heeft Bartolomeus en zijn gemene
vrienden een lesje geleerd.
Van hen hebben ze geen last meer.
Het was wel fijn om superkracht te
hebben.
Maar ook lastig.
Iedereen wilde het superwezen vangen.
Gelukkig wist niemand van zijn geheim
af.

Alleen Jimmy, Ruben en Lotte.
Maar nu denken ze dat hij zijn
superkracht kwijt is.
Jan heeft hun verteld dat hij opnieuw een
vallende ster zag.
En dat hij toen wenste dat hij weer
gewoon Jan zou zijn.
Maar Jan heeft nog steeds superkracht.
Alleen weet niemand dat.
Het is zijn geheim.
'Was je nog maar sterk,' verzucht Jimmy.
'Dan kon je bij me langsvliegen als ik in
Spanje ben.'
'Ja, maar dat is helaas niet zo,' zegt
Lotte.
Jan grijnst.
Zijn vrienden moesten eens weten!

1 *Een leuke verrassing*

Jan loopt zijn straat in.
Hij zucht.
Zes weken zonder zijn vrienden is best
lang.
Meneer Stromboli staat in zijn voortuin als
Jan langsloopt.
Meneer en mevrouw Stromboli zijn de
buren van Jan.
Ze werkten vroeger in een reizend circus.
Maar nu zijn ze met pensioen.
Gelukkig maar.
Want hun trucs werken niet meer zo goed.
Pasgeleden nog waren de buren bij Jan
thuis op bezoek.
Meneer Stromboli wilde een laken over
het servies doen.
Dan zou zijn vrouw er met een hamer op
slaan.
Daarna zou hij het servies weer heel
toveren.
'Liever niet,' zei de moeder van Jan.
'Mijn hele servies gaat eraan.
Tover maar wat bloemen uit uw mouw.'
Maar meneer Stromboli wilde toch zijn
act laten zien.
De moeder van Jan gaf hem toen een paar
oude vazen.
Meneer Stromboli ging er eerst mee
jongleren.

Daarna sloeg mevrouw Stromboli ze met
een hamer stuk.
Meneer Stromboli sprak een spreuk uit.
Maar er gebeurde niets.
De vazen lagen nog in scherven op de
vloer.

Geen enkele spreuk hielp.
Meneer Stromboli krulde zenuwachtig de
punten van zijn snor.
'In vazen heel toveren zijn we niet zo
goed,' zei hij.
'Laten we taart eten,' zei de moeder van
Jan.
'Zelf gebakken, daar ben ik heel goed in.'

Jan stopt even bij de buurman.
'Dag buurman,' groet Jan.
'Wat bent u aan het doen?'
Meneer Stromboli heeft een oude helm
op.
Hij kucht.

'Gaat u op reis?' vraagt Jan.
'Ja, morgen,' zegt meneer Stromboli.
'Daarom probeer ik de motor vast uit.
Om te kijken of hij het nog doet.
Want hij heeft een tijdje stilgestaan.'
'Gaat u naar Stromboli?' vraagt Jan.
Hij weet hoe graag meneer Stromboli dat
wil.
Meneer Stromboli verlangt er al jaren
naar.
Stromboli is een klein vulkaaneiland.
De ouders van meneer Stromboli
woonden daar.
Maar ze moesten vluchten toen de
vulkaan uitbarstte.

'Nee,' antwoordt meneer Stromboli.
'Dat komt een andere keer.'
'Waar gaat u dan naartoe?'
'Het is een verrassing,' zegt mevrouw
Stromboli.
Ze is erbij komen staan.
Zijn buren lachen geheimzinnig naar
hem.
Mevrouw Stromboli pakt iets uit de
zijspan.
Het is een helm.
'Voor jou,' zegt ze.

Jan kijkt haar verbaasd aan.
'Wat moet ik daarmee?'
'Opzetten,' antwoordt mevrouw
Stromboli.
Jan slikt.
Als ze maar niet een nieuw
circusnummer hebben bedacht.
Misschien heeft meneer Stromboli
een kanon gebouwd.
En moet Jan daarin.
Als menselijke kanonskogel.
Nou, mooi dat hij dat niet doet.
Jan doet een stapje naar achteren.
Mevrouw Stromboli houdt nog steeds de
helm voor zijn neus.
'Zonder helm mag je niet in de zijspan,'
zegt ze.
Jan wordt bang.
Wat zijn ze met die motor van plan?
Over een kabel rijden tussen twee
torenflats?
Ze denken toch niet dat hij gek is?
Mevrouw Stromboli begint te lachen.
Ze komt niet meer bij.
Jan ziet zijn vader en moeder naar buiten
komen.
Ze kijken hem vrolijk aan.
'Je gaat toch op vakantie,' zegt zijn
moeder.
'Naar een echt kasteel.'

2 Oom Massimo

Het kasteel is van familie van mevrouw
Stromboli.
Van oom Massimo van der Molen.
Meneer en mevrouw Stromboli zijn
uitgenodigd.
Ze gaan er met de motor met zijspan
naartoe.
En Jan mag mee.
Meneer en mevrouw Stromboli zijn er
nog nooit geweest.
Zij kennen het alleen maar van foto's.
Mevrouw Stromboli heeft haar oom
nog nooit ontmoet.
'Familieruzie,' fluistert meneer
Stromboli.
'Komt in de beste kringen voor.'
Jan knikt.
Zijn vader en moeder hebben ook
weleens ruzie.
'Misschien miste hij ons,' zegt mevrouw
Stromboli.
'Hoe kan dat nou?' vraagt Jan.
'Uw oom heeft jullie nog nooit gezien.'
'Met je familie heb je een band,' zegt
mevrouw Stromboli.
'Ook als je ze niet kent.'
'Net zoals met Stromboli?' vraagt Jan.
'Want daar is meneer Stromboli nooit
geweest.

En toch mist hij het.'
'Jij begrijpt het,' antwoordt mevrouw Stromboli.
Ze knijpt hem in zijn wang.
'Oom Massimo is de broer van mijn vader.
Eigenlijk heet hij Henk.
Maar hij ging met een ijsverkoopster uit Italië.
Toen noemde hij zich Massimo.'
'Net zoals uw man,' zegt Jan.
'Hij noemt zich ook anders.
Eigenlijk heet hij meneer Van der Put, toch?'
Mevrouw Stromboli knikt.
'Waarom heeft u uw oom nooit meer gezien?' vraagt Jan.
'Het had met de ijsverkoopster te maken,' zegt mevrouw Stromboli.
'Mijn vader had ook een oogje op haar.
Daar kregen ze ruzie over.'
Jan kijkt haar aan.
'Die ijsmevrouw...' begint hij.
'... was mijn moeder,' zegt mevrouw Stromboli.
'Mijn vader is er met haar vandoor gegaan.
Toen is mijn oom vertrokken.'
'Hoe is hij aan het kasteel gekomen?' vraagt Jan.
'Op een dag keerde hij terug.

Hij had de Duitse Lotto gewonnen.
Daar heeft hij het kasteel van gekocht.
En nu wil hij mij zien.
Voor het eerst.'

De volgende dag schijnt de zon.
Jan kijkt door het raam naar buiten.
Vandaag gaat hij op vakantie!
Beneden hoort hij zijn moeder roepen.
'Opschieten!' roept ze. 'Jullie gaan bijna
weg.'
Jan heeft gisteren zijn tas al ingepakt.
Samen met zijn moeder.
Zijn nieuwe *Spiderman*-boek zit erin.
En zijn zaklamp.
'Het kan best weleens donker zijn in
zo'n kasteel,' zei zijn moeder.
'Stel je voor dat het licht uitvalt.'

Jan loopt de trap af.
Beneden wachten zijn vader en moeder.
'Je moet wel je sjaal omdoen,' zegt zijn
moeder.
Ze knoopt hem drie keer om zijn nek.
'Ik wil niet dat je verkouden wordt.'
Dan gaat de bel.
Jan doet de deur open.
Daar zijn meneer en mevrouw
Stromboli.
Ze dragen lange, bruine leren jassen.
Hun helmen hebben ze onder hun arm.

'We zijn klaar om te vertrekken,' zegt
mevrouw Stromboli.
De tas van Jan wordt achter op de
zijspan gezet.
Ze binden hem goed vast.
Zodat ze hem niet verliezen onderweg.
Jan klautert bij mevrouw Stromboli in de
zijspan.
Ze doet hem een helm op.
Meneer Stromboli ziet eruit als een
ouderwetse piloot.
Hij draagt een witte sjaal en een gek
brilletje.
Dan trapt hij de motor aan.
Maar er gebeurt niets.
Meneer Stromboli probeert het nog een
keer.
Hij krijgt er een rood hoofd van.
Maar de motor zwijgt.
Ze stappen allemaal weer
uit.
'Dat is raar,' zegt
meneer Stromboli.
'Gisteren deed de
motor het nog wel.'

3 Op weg

Mevrouw Stromboli probeert het ook.
Maar de motor slaat niet aan.
Ze kijkt boos naar meneer Stromboli.
Hij heft zijn armen omhoog.
Alsof hij om hulp wil roepen.
Jan voelt zijn neus trillen.
'Start,' fluistert hij heel zachtjes.
Mevrouw Stromboli trapt de motor nog
een keer aan.
Dan begint hij te ronken.
'Mannen,' zegt ze zuchtend.
'Het zijn altijd de vrouwen die het
moeten opknappen.'

'Ik had hem voorverwarmd,' zegt meneer
Stromboli.
Hij draait nijdig twee krullen in zijn
snor.
Volgens mij heb ik hem gestart, denkt
Jan.
Ik voelde het aan het puntje van mijn
neus.
'Kom gauw zitten,' zegt mevrouw
Stromboli.
'Voordat de motor er weer mee
uitscheidt.'
Jan kruipt voor in de zijspan.
'Zul je goed oppassen?' zegt zijn moeder.
'Stuur me af en toe een kaartje.'
Jan knikt.
Meneer Stromboli geeft gas en dan rijden
ze weg.
Jan wuift tot aan het einde van de straat.
Dan slaan ze de hoek om.
Snel doet Jan zijn sjaal af.
Hij stikt zowat van de hitte.
Meneer Stromboli loodst de motor door
het verkeer.
Jan moet kuchen van alle uitlaatgassen.
Ze verlaten de stad en rijden nu langs
bomen.

Onderweg kijkt Jan zijn ogen uit.
De toppen van de bomen reiken naar
elkaar.

Het is net een erehaag.
Speciaal voor hen.
Paarden in weilanden draven een stukje
mee.
Koeien loeien en schapen blaten.
Alsof ze Jan willen begroeten.
En een prettige vakantie willen
toewensen.
Jan geniet.
Het duurt niet lang meer of ze zijn bij het
kasteel.
Wat zullen Ruben, Jimmy en Lotte
jaloers zijn.

Niet iedereen gaat in een kasteel logeren.
Dan klinkt er opeens een harde knal.
En daarna nog een.
Mevrouw Stromboli duwt hem naar
beneden.
Wie schiet er op hen?

Ze staan met zijn drieën bij de motor.
Er was helemaal niet op hen geschoten.
De beide banden van de motor zijn
geklapt.
'Dat hebben wij nou weer,' klaagt
mevrouw Stromboli.

'Hebt u bandenplak bij u?' vraagt Jan.
Mevrouw Stromboli schudt haar hoofd.
'Kan meneer Stromboli de banden niet
heel toveren?' oppert Jan.
'Hij is toch goochelaar.'
'Daar is meneer Stromboli niet meer zo
goed in,' fluistert mevrouw Stromboli.
Jan knikt.
Dat vindt mijn moeder ook, wil hij
zeggen.
Maar dat klinkt niet zo aardig.
Daarom houdt hij maar zijn mond.
'Meneer Van der Put,' zegt zijn vrouw.
'Hoe gaan we dit oplossen?'

4 Een koele ontvangst

Jan heeft onderweg vijf eierkoeken op.
Hij is er een beetje misselijk van.
Ze zijn nog steeds niet bij het kasteel.
Mevrouw Stromboli zingt een liedje:

'Ik heb een tante en een oom.
Die wonen in een eikenboom.
Een eikenboom uit Laren.
Ze wonen er al jaren.'

Jan lacht.
Ze rijden door een laan.
Er staan hoge bomen.
'Daar is het kasteel!' roept Jan.
Hij wijst naar een hoog toegangshek.
Daarachter is het kasteel te zien.
Om de toren vliegen vogels.

Het zijn zwarte kraaien.
Ze zien er eng uit.
Ze blijven om de toren cirkelen.
Alsof ze die bewaken.
Jan rilt een beetje.
Ze zijn nu bij het toegangshek.
Meneer Stromboli heeft de motor uitgezet.
Hij stapt af en probeert het hek open te doen.
Maar het zit op slot.
'Wat gek,' mompelt mevrouw Stromboli, die uitstapt.
'Oom Massimo weet dat we komen.'
Jan klautert uit de zijspan.
Aan het slot hangt een bordje.
Er staat iets op geschreven.
Jan leest het hardop voor: 'WEGENS OMSTANDIGHEDEN GESLOTEN.'
'Hoe kan dat nou?' zegt meneer Stromboli.
Jan kijkt tussen de spijlen van het hek door.
Het kasteel ziet er verlaten uit.
Op de kraaien na.
Aan het hek hangt een koord.
Jan trekt eraan.
Heel in de verte klinkt een bel.
Maar er is niemand die naar het hek komt.
Mevrouw Stromboli is weer in de zijspan gaan zitten.

'Weg vakantie,' zegt ze.

Jan baalt.

Hij had zich er zo op verheugd.

Ze zijn helemaal voor niets gekomen.

Meneer Stromboli wil de motor al starten.

Dan hoort Jan een kuchje.

'Aan de deur wordt niet gekocht,' zegt een man.

Jan draait zich om.

'Oom Massimo?' vraagt hij.

5 Waar is oom Massimo?

De man bij het hek ziet er eng uit.
Hij heeft pikzwart, glimmend haar.
En een klein snorretje.
Hij draagt witte handschoenen.
Zijn zwarte jas heeft twee punten van
achteren.
Net een pinguïn, denkt Jan.
Maar dan een uit een griezelfilm.
'Ik ben de butler,' zegt de enge pinguïn.
'En u bent?'
Mevrouw Stromboli is erbij komen
staan.
'De heer Massimo van der Molen is mijn
oom.
Misschien dat u het hek open wilt doen.
Ik heb hier een brief.'
Ze haalt hem uit haar tas.
Dan zoekt ze naar haar bril.
'Zal ik hem voorlezen?' vraagt Jan.

Aan Beronia Stromboli

Beste nicht,

Ik heb je lange tijd niet gezien.
Kom alsjeblieft snel hiernaar toe.

Ik ben al heel oud.
Je bent mijn enige familielid.
Alles is vergeven en vergeten.

Massimo van der Molen.

'Waar is mijn oom?' vraagt mevrouw
Stromboli.
De butler doet het hek open.
'Duizendmaal excuses,' zegt hij.
'Mijn deelneming.'
'Deelneming?' vraagt meneer Stromboli.
De butler trekt een ernstig gezicht.
'De heer Massimo van der Molen is er
niet meer.'
Mevrouw Stromboli kijkt boos.
'Van je familie moet je het maar hebben.
Je kunt toch niet iemand uitnodigen
en dan zomaar vertrekken?
Waar is hij naartoe?
En wanneer komt hij terug?'
'Nooit meer,' zegt de butler.
'Hij is overleden.
Hij stikte in een botje van een
gebraden duif.'
Hij wijst naar zijn keel.
Mevrouw Stromboli bedekt de oren
van Jan met haar handen.

'Er zijn hier kleine kinderen.'
'Mijn excuses,' zegt de butler.
'U gaat nu zeker liever naar huis, hè?'
'Geen sprake van,' zegt mevrouw
Stromboli.
Boven het kasteel hangen donkere
wolken.
Ze wijst ernaar.
'Het lijkt of het zo gaat regenen.
We blijven in elk geval een nacht.'
Jan ziet dat de butler chagrijnig kijkt.
Zou hij geen zin hebben in bezoek?
'Wilt u mij volgen?' vraagt de
butler.
Stapvoets rijden ze achter hem aan.
Even later staan ze voor een enorme
deur.
'Welkom op kasteel Groenesteijn,' zegt
de butler.
Jan kijkt omhoog.
Wat is het hier groot allemaal.
Boven de deur zijn drakenkoppen van
steen.
Jan vindt ze er best wel griezelig uitzien.
Blijkbaar vindt mevrouw Stromboli dat
ook.
'Spookt het hier?' vraagt ze.
Op dat moment gaat de deur open.
Jan schrikt.
In de deuropening staat een vrouw.
Ze is helemaal in het zwart gekleed.

Ze heeft holle ogen en vuurrode lippen.
Het is net een geest uit een enge film.
De butler stelt haar voor.
'Dit is mevrouw Swart, de
huishoudster.'
Mevrouw Swart fluistert iets in het oor
van de butler.
Die schudt boos zijn hoofd.
Waarover zitten ze te smoezen? denkt
Jan.
Maar tijd om erover na te denken heeft
hij niet.
'Mevrouw Swart brengt u naar boven,'
zegt de butler.
Jan loopt achter de Stromboli's aan naar
binnen.
In de hal is het erg donker.
Hij kan bijna niets zien.
Mevrouw Swart gaat hun voor, de trap
op.
In haar hand houdt ze een kandelaar
met brandende kaarsen.
Jan schrikt van een figuur naast de trap.
Dan ziet hij dat het een harnas is.
Hij zucht opgelucht.
De treden kraken bij elke stap.
Aan de muren hangen enorme
schilderijen.
En overal staan opgezette dieren.
Het is net alsof ze je aankijken, vindt
Jan.

Hij voelt hun ogen in zijn rug prikken.
Er klopt hier iets niet, denkt hij.
Maar wat?

6 Wat is er toch?

Jan zit aan een lange tafel in de grote
eetzaal.
Meneer en mevrouw Stromboli zitten
helemaal aan de andere kant.
Boven de tafel hangt een grote lamp.
Het lijkt wel een karrenwiel.
Er staan brandende kaarsjes op.
De hele ruimte wordt verlicht door
kaarsen.

Aan de muren hangen opgezette dieren.
Grote portretschilderijen staren de gasten
aan.
In de enorme haard brandt een vuur.
Dat moet voor warmte zorgen.
Toch rilt Jan.
De eetzaal ziet er spookachtig uit in het
kaarslicht.
De schoenen van de butler kraken als hij
loopt.
Overal hangen camera's.
'Waarvoor zijn die camera's?' vraagt Jan
aan mevrouw Swart.
'De heer Massimo was heel bang voor
inbrekers,' antwoordt mevrouw Swart.
Ze zet een grote dekschaal met eten op
tafel neer.
Meneer Stromboli doet wat
goochelkunstjes.
Hij tovert een ei uit het oor van de
butler.
En een ei uit de neus van
mevrouw Swart.
Maar die kunnen er niet om
lachen.
Mevrouw Swart wil van alles weten.
'Bent u de enige erfgename?' vraagt ze
aan mevrouw Stromboli.
'Erfgename?' roept die verbaasd uit.
'Ik?
Bedoelt u dat het kasteel van mij is?'

'Als u de nieuwe erfgename bent wel.'
Mevrouw Swart kijkt haar strak aan.
'Asjemenou!' roept mevrouw Stromboli.
'Heb je dat gehoord?' zegt ze tegen haar
man.
'Een heel kasteel, helemaal van mij.'
Mevrouw Swart knikt.
'Gefeliciteerd,' zegt ze met tegenzin.
Ze stelt nog meer vragen.
Hoelang ze van plan zijn te blijven.
Of ze wel weten hoe duur een kasteel is.
Vooral een oud en tochtig kasteel als dit.
'Alleen al de stookkosten!' roept ze uit.
'Dan komt er ook nog het onderhoud bij.
Het moet nodig worden opgeknapt.
Dit is niks voor uw soort mensen.'
'Ik heb altijd al in een kasteel willen
wonen,' zegt mevrouw Stromboli.
'Het lijkt me ééénig!
Zo romantisch.'
'Binnen een week hebt u er genoeg van,'
zegt de butler met een vals lachje.
'Dan bent u blij als u weer naar uw eigen
huis kunt gaan.'

Ze zitten met zijn drieën in de kamer.
Ze spelen kwartet met elkaar.
De butler en mevrouw Swart zijn al een
poosje weg.
In de hal galmt een klok.
Hij slaat tien uur.

'Is het al zo laat?' roept mevrouw
Stromboli verschrikt.
'Het is de hoogste tijd om naar bed te
gaan, Jan.
Wat zou je moeder er niet van zeggen?'
Jan staat op van tafel.
'Tot morgen,' zegt hij.
Dan loopt hij de gang in.
Hij komt langs de keuken.
Achter de deur hoort hij stemmen.
Die zijn van de butler en mevrouw
Swart.
Jan blijft even staan.
'Ik heb de notaris gebeld,' zegt de butler.
'Ja, en?' vraagt mevrouw Swart.
'Hij...'
Er valt een stilte en ineens vliegt de deur
open.
De butler kijkt Jan onvriendelijk aan.
'Wat moet je?' vraagt hij.
'Ik zoek de wc,' zegt Jan snel.
De butler wijst hem de weg.
Jammer, denkt Jan.
Nu kan hij niet verder afluisteren.

Jan zit op de rand van zijn bed.
Het is een enorm hemelbed.
Met gordijnen van donkergroen fluweel.
Als je ze dichtdoet, zit je in een tent.
Het bed lijkt wel een trampoline.
Zo groot is het.

Daar kun je echt supergoed op springen.
Jan laat de gordijnen voor het raam
open.
Zo kan de maan de kamer verlichten.
Anders is het wel erg donker.
Hij kruipt diep onder de dekens.
Zo hoort hij het tikken van de klok niet.
Die lijkt door het hele kasteel heen te
dreunen.

De vloer kraakt.
En er bewegen takken tegen de ramen.
Dat komt door de wind.
Niks om bang voor te zijn.
Maar toch is het een beetje spookachtig.
Spoken bestaan niet, denkt Jan.
Onder zijn bed hoeft hij ook niet te
kijken.
Zelfs al zit er een spook, dan hoeft hij
niet bang te zijn.
Hij heeft nog altijd superkracht.
Dan slingert hij ze zo naar de maan.
Maar Jan is er niet helemaal gerust op.
Hij kruipt nog dieper onder de dekens.
Je weet maar nooit.

7   Het spookt

Het duurt een hele tijd voordat Jan in
slaap valt.
Hij hoort elk uur de grote klok beneden
slaan.
Eén uur, twee uur...
Uiteindelijk valt hij toch in slaap.
Plotseling schrikt hij wakker van een
angstkreet.
'Help!' hoort hij.
'Help!
Een monster.'
Het lijkt de stem van mevrouw Stromboli
wel.
Ze is in gevaar, denkt Jan.
Ik moet haar helpen.
Mevrouw Stromboli blijft gillen.
Jan heeft geen seconde te verliezen.
Maar hij moet zich eerst vermommen.
Niemand mag hem herkennen.
Hij gooit een laken over zich heen.
Vlug scheurt hij er twee gaatjes in.
Dan kan hij iets zien.
Hij voelt de superkracht zijn
lichaam in stromen.
Jan zweeft de kamer uit, de
gang op.
Daar schrikt hij zich wild.
In de gang staat een spook.
En het spook gilt.

Maar met de stem van mevrouw Stromboli.
Het spook heeft een ijzeren pook vast.
En met die pook komt het naar hem toe
gerend.
Het is mevrouw Stromboli, ziet Jan nu.
Haar gezicht zit onder de witte crème.
Dat heeft zijn moeder ook weleens op.
Tegen de rimpeltjes.
En mevrouw Stromboli heeft een lang,
wit nachthemd aan.
Geen wonder dat hij dacht dat ze een
spook was.
Ik moet hier gauw weg, denkt Jan.
Voordat ze me in elkaar mept.

Hij vliegt naar de grote hal.
Mevrouw Stromboli krijst als een
speenvarken.
Ik moet mijn vermomming kwijtraken,
denkt Jan.
Maar waar?
Hij vliegt de gang in.
Daar is de wc.
Vlug gaat hij naar binnen.
Nu nog dat laken kwijtraken.
Hij gooit het van zich af.
In het halletje bij de wc staat een mand.
Daar propt hij het laken in.
Zo, en nu weer naar boven, denkt hij.
Wat zou er daar zijn gebeurd?
Waar was mevrouw Stromboli zo bang
voor?

Op zijn blote voeten loopt hij door de gang.
Ineens botst hij tegen mevrouw Swart op.
De kandelaar valt bijna uit haar hand.
Ze kijkt hem nors aan.
'Wat moet jij...?
Ik bedoel, is het niet te koud voor jou
op de gang?'
Jan wrijft in zijn ogen.
Hij doet alsof hij moet gapen.
'Ik moest heel nodig naar de wc.'
Jan ziet dat ze argwanend kijkt.
'Je hebt dus niets gezien?' vraagt ze.
Jan schudt zijn hoofd.
De huishoudster ziet er eng uit.
Ze kan zo meespelen in een griezelfilm.
De terugkeer van de zombies, of zo.
Jan huivert.
Haar lippen zijn knalrood.
Alsof ze met bloed zijn gekleurd.
Het is net of ze een kip levend heeft
opgegeten.
Dat doen griezels, als ze net zombie zijn
geworden.
'Echt niet?' vraagt ze nog een keer.
'Je hebt dus helemaal niks gezien?'
Jan schudt opnieuw zijn hoofd.
Samen lopen ze de krakende trap op.
Daar staan zijn buren met de butler te
praten.
Meneer Stromboli draagt een lange, witte
onderbroek.

Op zijn hoofd heeft hij een witte
slaapmuts.
En hij draagt een wit nachthemd.
Mevrouw Stromboli gebaart wild met
haar handen.
Ze vertelt dat ze een griezelig monster
heeft gezien.
En een rondvliegend spook dat in de
gang zweefde.
Jan slikt.
Gelukkig weet ze niet dat hij dat was.
'Wat een nachtmerrie!' roept ze.
Ze kijkt naar Jan.
'Heb jij helemaal niks gemerkt?'
'Nee,' zegt Jan.
'Ik moest naar de wc.
Toen hoorde ik u gillen.'
'Dus jij hebt het niet gezien?'
'Wat niet gezien?'
'Een vrouw zonder hoofd,' zegt ze.
'Ze stond in de slaapkamer.'
Meneer Stromboli gaapt.
'Ik heb ook niets gezien.
Misschien was het een nachtmerrie.'
'En het spook dan?' zegt mevrouw
Stromboli boos.
'Ik zag het echt rondvliegen.'
'Het zit allemaal in je hoofd,' zegt haar
man.
'Je hebt het allemaal gedroomd.
Spoken bestaan niet.'

8 Een pretpark

Het is ochtend.
Jan is al heel vroeg wakker.
Hij kleedt zich aan en loopt de kamer
uit.
Dan sluipt hij de trap af.
Hij moet het laken pakken.
Het ligt nog in de mand.
Stel je voor dat iemand het vindt.
En hem verdenkt.
Beter van niet.
Op zijn tenen loopt hij naar de wc.
Dan hoort hij een stem.
Gauw schiet hij de wc in.

Het is de butler.
Hij is met iemand aan de telefoon.
'Nog zo'n avondje en ze zijn weg...
Ze heeft de vrouw zonder hoofd gedaan.'
Jan fronst zijn wenkbrauwen.
Wat zou de butler daarmee bedoelen?
Hij hoort hem lachen.
'Ze was zo bang dat ze nog meer spoken
ging zien.
Maar vanavond gaat het feest pas echt
beginnen.
Heus, die zijn morgen weg.
Daarna is alles van ons.
Dan kunnen we met het pretpark
beginnen.'
De butler lacht vals.
'Ik spreek je morgen weer.
Met heel goed nieuws.'
Dan hangt hij op.
Jan denkt diep na.
Pretpark?
Wat zou hij daarmee bedoelen?
Willen ze een spookhuis van het kasteel
maken?
Net zoals op de kermis?
Of zou het hier echt spoken?
Misschien houden de spoken zich achter
de schilderijen verstopt.
En komen ze bij vollemaan weer
tevoorschijn.
Net zoals weerwolven.

Die komen ook alleen bij vollemaan tot
leven.
Jan rilt een beetje.
Dan hoort hij een deur opengaan.
Er klinken voetstappen.
Jan gluurt door een kier.
Hij ziet de butler weglopen.
Snel pakt hij het laken.
Dan gaat hij terug naar zijn kamer.
Boven aan de trap staat iemand.
Het is mevrouw Swart.
'Ahum,' kucht ze.
'Ik zoek de wasmand,' liegt Jan.

Hij voelt dat hij een rode kleur krijgt.
'Een ongelukje.'
'Zeker omdat je van huis bent?' zegt
mevrouw Swart.
'Dat hebben kleine jongetjes wel vaker,
hè?
Als ze wakker worden is hun laken nat.'
Helemaal niet! wil Jan roepen.
Alsof hij het nog in zijn broek zou doen.
Wat denkt die heks wel!
Maar hij laat niks merken.
Ze mag niet ontdekken dat hij het spook
was.

Jan loopt naar de eetzaal voor het
ontbijt.
Meneer en mevrouw Stromboli zitten al
aan tafel.
Mevrouw Swart schenkt een kopje thee
in.
'Hebt u nog lekker geslapen?' vraagt ze.
'Ik heb geen oog dichtgedaan,' moppert
mevrouw Stromboli.
'U kunt ook naar een hotel gaan, hoor,'
zegt de butler.

Meneer Stromboli staat op.
'Wij laten ons niet wegjagen,' zegt hij.
'Misschien door een vulkaan die uitbarst.
Maar dat is hoge nood.
We blijven.
Ik heb gebeld met een oude vriend.
Hij komt vanmiddag nog langs.
Het is professor Duisterberg.
Specialist in geestuitdrijving,
helderziendheid en spoken jagen.'
Jan ziet dat mevrouw Swart thee morst.
'We kennen hem nog van vroeger,' gaat
meneer Stromboli verder.
'We traden vaak na hem op.
Hij kan gedachten lezen.
Dat heeft hij van de geesten geleerd.'
Opeens horen ze een harde gil.
Het komt van buiten.
'O nee, hè.
Niet weer!' roept mevrouw Stromboli.
'Niet nog meer spoken.
Ik ga weg, ik blijf hier geen dag langer.'
'Zal ik uw koffers pakken?' vraagt
mevrouw Swart gretig.
'De butler brengt u wel naar een hotel.'
Jan weet wel beter.
Het is geen spook.
Iemand is in nood.
Hij moet helpen.
Jan voelt de superkracht terugkomen.
'Help!' hoort hij weer.

'Ik moet heel nodig,' zegt Jan.
En hij rent de eetzaal uit.
Hij moet zich vermommen.
Maar waarmee?
Dan ziet hij het harnas bij de trap staan.
Jan haalt diep adem.
Hij zweeft en pakt de helm.
Snel wurmt hij zich in het harnas.
Dan vliegt hij door de hal.
Hij blaast de buitendeur open.
Op het gazon rent een paard.
Het is op hol geslagen.
Op zijn rug zit een meisje.
Het paard springt over een hoge heg.
Nog even en het meisje valt.
Jan maakt vaart.
Hij vliegt nu boven het paard.
Hij kan het meisje bijna pakken.
'Hebbes!' roept hij.

Dan ploft hij achter haar op het paard.
Hij pakt de teugels en trekt eraan.
Het paard gaat langzamer lopen.
Daarna staan ze stil.
Het meisje kan geen woord uitbrengen.
Ze hapt naar adem.
Jan springt van het paard.
Hij zet het meisje veilig op de grond.
Ze kijkt hem met grote ogen aan.
'Alles goed?' mompelt Jan.
Ze knikt.
Jan springt omhoog.
Dan vliegt hij terug naar het kasteel.
Met een beetje geluk heeft niemand hem
gezien.
Op het meisje na dan.
Hij landt aan de achterkant en gluurt om
de hoek.
Daar rennen de Stromboli's.
Mevrouw Swart en de butler hollen
achter hen aan.
Mooi, dan kan hij het harnas
terugbrengen.
Voordat ze hem betrappen.

Iedereen is nog buiten.
Jan staat in de hal.
Hij heeft het harnas uitgetrokken.
Daarna gaat hij gauw de wc in.
Zo kan hij doen alsof hij van niks weet.
Als hij een poosje op de wc zit, hoort hij
een stem.
Het is die van mevrouw Swart.
De butler is er ook.

Mevrouw Swart is boos.

Dat is goed te horen.

'Je had dat grietje toch verboden hier te komen?' zegt ze.

'Jazeker,' zegt de butler.

'Precies zoals de notaris had gezegd:

"Zorg dat de tuinman en zijn dochter verdwijnen.

Ze steken hun neus te veel in onze zaken."

Toen heb ik de tuinman ontslagen.'

'Wat doet dat grietje hier dan?

Waarom sloeg dat paard op hol?

Ze kan heel goed paardrijden.

Het is heel vreemd allemaal.

Waar is ze nu trouwens?'

'In de woonkamer.'

'Ze moet daar zo snel mogelijk weg,' zegt mevrouw Swart.

'Voordat ze die twee gekken alles gaat vertellen.'

'Ik heb haar vader gebeld,' zegt de butler.

'Die komt haar ophalen.'

'Als hij maar snel komt,' zegt mevrouw Swart.

'Die Jan staat mij ook niet aan.

Het lijkt alsof hij iets vermoedt.'

Jan houdt zijn adem in.

Hij durft zich niet te bewegen.

'Alles loopt in het honderd,' gaat mevrouw Swart verder.

'Zou iemand ons doorhebben?
Dat wij ons 's avonds als spook
verkleden.
Zodat die twee idioten en dat kind
vertrekken.'
'Hoe bedoel je?' vraagt de butler.
'Er is nog een ander spook in het kasteel.
Mevrouw Stromboli zei dat ze vannacht
een rondvliegend spook zag.
En nu vertelt dat grietje over een
vliegende ridder.
Iemand heeft ons door.
Maar wie?
Spoken bestaan niet.'
'Wat kan ons het schelen,' zegt de butler
vals.
'Hoe meer spoken, hoe beter.
Nog een spookavondje en de familie is
vertrokken.'
Dan beginnen ze allebei te lachen.
Jan luistert met gespitste oren.
Zie je wel, er is iets.
Ze willen hen weg hebben.
'Maak je maar geen zorgen,' zegt de
butler.
'Volgens de notaris is er geen enkel
probleem.
Het testament is heel duidelijk.
De erfgenaam moet een week in het
kasteel blijven.
Een hele week.

Zo niet, dan erven wij het.'
Ze lachen weer.
'We worden rijk,' zegt de butler als hij is
uitgelachen.
'Straks zwemmen we in het geld.'
Jan stikt bijna van woede.
De Stromboli's moeten in het kasteel
blijven.
Wat er ook gebeurt.
Daar gaat hij voor zorgen.
Hij hoort de butler en mevrouw Swart
weglopen.
Dan doet hij de wc-deur open.
Hij loopt naar de woonkamer.
Daar zit mevrouw Stromboli.
Ze ziet lijkbleek.

Naast haar zit het meisje van het paard.
Jan doet alsof hij nog van niks weet.
'Wat is hier aan de hand?' vraagt hij.
Het meisje kijkt hem aan.
'Ik wilde nog een keer op mijn
lievelingspaard rijden, Storm.
Mijn vader werkte hier als tuinman.
Ik mocht altijd helpen in de stallen.
Meneer Massimo vond het goed dat ik
op zijn paard reed.
Storm schrok ergens van en sloeg op hol.
Maar toen ben ik gered door een ridder.'
Mevrouw Stromboli springt op.
'Ik wil het woord ridder niet meer
horen,' zegt ze.
'Ik blijf hier geen dag langer.
Meneer Stromboli, we gaan nu weg.'
'Ik heb uw koffers al gepakt!' roept de
butler.
'U hebt helemaal gelijk.
Ik zou hier ook niet blijven als ik u was.'
'Ik ga nog liever naar Stromboli,' zegt ze.
'Meen je dat?' vraagt meneer Stromboli.
'Alles beter dan dit.'
'Goed, als je er zo over denkt,' zegt
meneer Stromboli.
'Ik zal de professor afbellen.'
De butler pakt het meisje bij de hand.
'Voor jou wordt het ook tijd om op te
stappen.
Je weet wat we hadden afgesproken.'

Het meisje laat zich met tegenzin naar de
voordeur leiden.
Jan kijkt in paniek rond.
De Stromboli's mogen niet weggaan.
Wat moet hij doen?
Hij moet ze tegenhouden.
Op dat moment wordt er hard op de
buitendeur gebonsd.
Mevrouw Stromboli trekt wit weg en
valt flauw.
Ze glijdt van haar stoel op de grond.

Zelfs de butler ziet een beetje wit.
Wat nu weer?
Nog meer spoken? denkt Jan.
Er wordt opnieuw op de deur gebonsd.
Maar niemand doet open.
'Ik ga wel,' zegt Jan.
Hij haalt diep adem.
Misschien staat er een groot, harig
monster buiten.
Dat naar vieze putlucht stinkt.
Wie weet heeft hij honger.
En heeft hij trek in een lekker jongetje.
Jan staat nu voor de deur.
Hij telt tot drie en opent de deur.
Op het bordes staat een vreemde man.

Hij is in het zwart gekleed.
En hij heeft een zwart sikje.
De man neemt zijn hoed af.
'Professor doctor Duisterberg, met uw welnemen.'
De man heeft een hoge, krakerige stem.
Hij geeft Jan een kaartje.
'DUISTERBERG & CO.
WIJ KOPEN AL UW INBOEDELS OP,' leest Jan hardop voor.
Dan kijkt hij de man vragend aan.
'Inboedels?'
De man trekt met zijn linkeroog.
Uit zijn zak haalt hij een stapel kaartjes.
Daar vist hij een ander kaartje tussenuit.
Hij geeft het aan Jan.
SPOKENJAGER EN SPOKENDESTRUCTIE, staat erop.
MEER DAN DERTIG JAAR ERVARING.
'Destructie?' vraagt Jan.
'Vernietiging,' zegt de professor.
En voor de ogen van Jan versnippert hij een kaartje.

De professor duwt Jan opzij.
Uit zijn leren koffer pakt hij een slinger.
'De spokenpendule,' zegt hij.
Jan moet ervan rillen.
Aan het koord hangt een koperen pin.
De professor houdt het koord tussen zijn
vingers.
Dan begint het te bewegen.
Het koord slingert heen en weer.
'Geen minuut te laat,' zegt de professor.
'Het is hier een broedplaats.
Ik ga ze vernietigen.
Met mijn spokenstofzuiger.'
Nu moet Jan nog harder rillen.
De pendule slingert voor zijn neus.

'Merkwaardig, heel merkwaardig.'
De professor kijkt hem wantrouwend
aan.
Hij knijpt hard in Jans arm.
'Au!' roept Jan.
'Hm,' zegt de professor.
'De pendule gaf aan dat je een spook
was.
Maar je bent echt.
Spoken kennen geen pijn.
Er zijn hier vreemde krachten aan het
werk.'
'Heinrich,' hoort Jan ineens achter zich.
Het is meneer Stromboli.
De twee mannen vallen elkaar in de
armen.
'Dat is snel.
Fijn dat je bent gekomen.'
'Ahum,' hoort Jan.
Hij draait zich om.
Bij de trap staat de butler.
Al hun koffers staan beneden.
'Tijd om te gaan,' zegt de butler.
'Zit er genoeg benzine in de motor?
Helaas moet ik hier blijven.
Anders zou ik het ook wel weten.'
'Vluchten voor een paar spoken?
Dat nooit!' gilt de professor.
De pendule slingert heftig boven Jan.
'Over een paar dagen zijn ze opgezogen.
Dat zweer ik je.'

'U hebt het gehoord,' zegt meneer
Stromboli tegen de butler.
'We blijven.'
'U moet het zelf weten,' zegt de butler.
Hij kijkt niet erg blij.
De pendule slingert nog steeds heen en weer.
'Als ik niet beter wist, had ik je nu al
opgezogen.'
Met priemende ogen kijkt de professor
Jan aan.
'Ik zou zweren dat je een spook bent.'
Jan zucht.
Hij moet heel erg uitkijken voor die
spokenjager.

Maar ook voor de butler en mevrouw
Swart.
En het meisje dat hij heeft gered.
Ze kijkt nu naar het harnas.
Daar steekt een stukje blauwe stof uit.
Ze steekt het in haar zak.
Jan krijgt een rood hoofd.
Die stof heeft dezelfde kleur als zijn
trainingsjack.

Hij voelt aan zijn mouw.
Daar zit een gat.
Precies bij zijn elleboog.
Het meisje komt naar
hem toe.
Jan gaat met zijn
rug naar de muur
staan.
Ze kijkt hem argwanend
aan.
Jan slikt.
'Is er wat ?' vraagt hij.
Ze steekt haar
hand uit.
'Ik ben Meike,'
zegt ze.
Ze kijkt om zich heen.
Alsof ze er zeker van wil zijn
dat niemand meeluistert.
'Het is hier niet pluis,' fluistert ze.
'In het kasteel is...'
De butler komt erbij staan.
'Ben je nou nog niet weg?
Waar blijft je vader?
Ik heb hem gebeld.
Hij zou meteen komen.
Wees maar blij dat ik de politie niet heb
gebeld.
Je hebt hier niks te zoeken.'
Meike steekt haar tong uit.
'Je bent toch niet bang voor mij?'

Ze wappert met haar armen.
'Boehoehoe!' roept ze.
Jan ziet dat de butler bleek wordt.
Dan gaat de bel.
De butler opent de deur.
Er staat een man in de deuropening.
'Papa!' roept Meike.
Ze rent naar hem toe.
Haar vader tilt haar op.
'Is alles goed met je?
Hoe kon dat paard op hol slaan?
Wat moest je in de stallen?'
Jan kijkt naar de butler.
Die luistert nieuwsgierig mee.
Maar Meike duwt haar vader naar
buiten.
Ze zwaait nog even met het stukje
blauwe stof.
'Dat had de dolende ridder vergeten,'
zegt ze.
Ze kijkt Jan indringend aan.
Jan voelt zich rood worden.
Hij houdt zijn hand tegen zijn elleboog.
Precies op de plek waar het gat zit.
De butler loopt naar de deur.
Hij slaat die met een knal dicht.
'Opgeruimd staat netjes,' zegt hij.

12 De Determinator

Ze zijn met zijn allen in de woonkamer.
Mevrouw Stromboli ligt op de bank.
Ze slaat wartaal uit.
Volgens meneer Stromboli komt het wel
weer goed.
'Mevrouw Stromboli heeft zwakke zenuwen.
Dat kan wel een weekje duren.'
'Buiten het kasteel gaat het sneller,' zegt
de butler.
'Ja, u kunt beter vertrekken!' roept
mevrouw Swart.
'Dat is veel beter voor haar zenuwen.
Er zijn zoveel leuke hotels hier.
Ik zou het wel weten.'
'Wij laten ons niet wegjagen,' protesteert
de professor.
'Alsof we niet voor hetere vuren hebben
gestaan.
Met tien woeste tijgers in een kooi.'
'Drie,' verbetert meneer Stromboli hem.
'Het leken er wel tien,' zegt de professor.
'Door brandende hoepels springen.
Over een kabel rijden met een motor.
Op tien meter hoog, zonder vangnet.'
'Ik zou het nu niet meer doen,' zegt meneer
Stromboli.
De professor haalt diep adem.
'U hoort het, we hebben voor hetere
vuren gestaan.'

De bel gaat.
'Wie is dat nou weer?' mompelt de butler.
Hij loopt naar de voordeur.
Even later komt hij terug.
In zijn hand heeft hij een briefje.
'Er staan drie kisten op het bordes.'

Hij vouwt het briefje open en leest voor.
'Voor de heer Duisterberg.
Specialist in verdwijningen en
inbraakpreventie.'
De butler kijkt verbaasd op.
'Ik dacht dat u spokenjager was.'
'Onder meer,' mompelt de professor.

Midden in de grote hal staat een enorme
machine.
Met metertjes, klokjes en een enorme slang.

Alsof het een reuzenstofzuiger is.
'De Determinator 2330 XL,' vertelt de
professor.
Er zitten zweetdruppels op het voorhoofd
van meneer Stromboli.
Ze zijn de hele dag bezig geweest om het
apparaat in elkaar te zetten.
Het is nu avond.
Jan kijkt naar de machine.
'Niets kan de zuigkracht weerstaan,' zegt
de professor.
Hij steekt de stekker in het stopcontact.
'Hoe werkt het apparaat nou?' vraagt
meneer Stromboli.
'Wacht maar af,' zegt de professor
geheimzinnig.
Hij pakt de enorme slang.
'Kijk,' zegt hij, terwijl hij naar een rood
lampje wijst.
'Zodra er een spook in de buurt is, gaat
deze branden.
Hij voelt de aanwezigheid van spoken.
Net zoals mijn pendule.'
De professor drukt op een knop.
Opeens gaat het rode lampje branden.
Het apparaat maakt een oorverdovend
geluid.
'Het werkt!' gilt de professor.
Het apparaat begint te zuigen.
Jan voelt de zuigkracht.
Het apparaat wil hém opzuigen.

Meneer Stromboli ziet het ook.
'Kijk uit!' roept hij naar de professor.
Jan houdt zich vast aan de trapleuning.
Het apparaat zuigt en zuigt.
Jan voelt superkracht in zich stromen.
Stevig houdt hij de trapleuning omklemd.
De machine maakt een hels kabaal.
Tafels en stoelen verdwijnen er nu in.
Met krakende geluiden worden ze
vermorzeld.
Als houtsnippers worden ze er weer uit
geblazen.
Jan kijkt met grote ogen toe.
Hij houdt zich nog steviger vast.
De professor ziet er verwilderd uit.
Zijn haren staan rechtovereind.

Er verdwijnen nu ook schilderijen in de zuigslang.
Opeens begint de machine te haperen.
Er klinkt een enorme knal.
Dan is het stil.
Uit de kapotte machine kringelt een rookpluim.
Meneer Stromboli en de professor komen wankelend overeind.
Ze zien er gehavend uit.
Hun gezichten zijn zwartgeblakerd.
Van hun kleding is niet veel meer over.
De butler en mevrouw Swart komen eraan gerend.
Achter hen loopt mevrouw Stromboli.
Ze ziet lijkwit.
'Ik wil naar huis. NU!'
'Zal ik een taxi bellen?' vraagt mevrouw Swart opgelucht.
De butler knikt verheugd.
Dan begint het buiten te bliksemen.
Ze horen een harde knal.
Ineens is het donker in de kamer.
De stroom is uitgevallen.
Buiten is er een hevig noodweer losgebarsten.

13 Weer een spooknacht

Jan heeft het dekbed ver over zijn hoofd
getrokken.
Het onweert nog steeds.
Het moet al na middernacht zijn.
De professor heeft de machine weer in
elkaar gezet.
En ook even uitgetest.
Hij had bijna de traploper opgezogen.
Jan moet de hele tijd aan de woorden
van de professor denken.
'Ik begrijp er niks van,' zei hij steeds.
'De machine wilde die jongen opzuigen.
Maar hoe kan dat nou?
De pendule denkt dat hij een spook is.
De machine denkt dat hij een spook is.'
'Maar dit is Jan,' zei meneer Stromboli
toen.
De professor kneep in de arm van Jan.
'Au!' riep Jan.
'Heel merkwaardig,' zei de professor.
'Alles wijst erop dat je een spook bent.
Het is heel vreemd allemaal.
Ik ga het uitzoeken.
Tot op de bodem.'

Jan kijkt naar de muren.
Er bewegen schaduwen op.
Het zijn de takken van de bomen.
Maar het lijken net armen met klauwen.

Klauwen die hem willen grijpen.
Jan huivert.
Ze mogen nooit achter zijn geheim komen.
Als ze weten dat hij heel sterk is, nemen ze
hem gevangen.
Of ze verkopen hem voor veel geld aan een
circus.
Mensen doen alles voor geld.

Jan schrikt wakker van een gil.
Het gegil komt van beneden.
Jan hoort ook een stofzuiger.
Hij schiet overeind.
Dat is het geluid van de spokenstofzuiger.
Jan doet de deur van het slot.
Dan rent hij de gang op.
Er klinkt een oorverdovende knal.
Beneden ziet Jan wat er aan de hand is.
Mevrouw Stromboli zit in de zuigmachine.
Alleen haar hoofd steekt er nog uit.

Uit de machine komt rook.
Meneer Stromboli en de professor staan
naast de machine.
De haren van de professor staan
rechtovereind.
Uit zijn neus en oren komt ook rook.
'Kortsluiting,' zegt hij.
Mevrouw Stromboli kan alleen maar
kreunen.
'Meneer Van der Put,' kreunt ze steeds.
Meer dan dat kan ze niet uitbrengen.
Jan weet wat dat betekent.
Meneer Stromboli zit diep in de problemen.
Anders zou ze hem niet bij zijn echte naam
noemen.
Meneer Stromboli probeert zijn vrouw eruit
te trekken.
Jan helpt hem.
Maar ze zit als een schroef zo vast.
'Help,' piept mevrouw Stromboli.
Jan voelt zich weer sterk worden.
Zijn buurvrouw is in nood.
    De professor krabt zich achter
       zijn oren.
       'Ik snap er niks van,' zegt hij.
       'Deze machine zuigt alles op
       behalve spoken.'
    Jan trekt mevrouw Stromboli
    voorzichtig uit de machine.
    Even later staat ze met wankele benen
naast hem.

'Wat is er gebeurd?' vraagt Jan.
'Ik wilde beneden een glaasje water
halen,' vertelt mevrouw Stromboli.
'En voor ik het wist, zat ik in die
machine.'
De professor staat er ongemakkelijk bij.
Hij houdt de slang nog steeds in zijn
hand.
'Ik kon niet slapen,' legt hij uit.
'Daarom ging ik nog wat aan de machine
sleutelen.
Daarna zag ik een witte schim.
Ik deed meteen de stofzuiger aan.
Toen was het al te laat.
Ik kan maar beter even geen spoken meer
zuigen.'
'Beter van niet,' zegt meneer Stromboli.
'Bovendien gaan we morgen naar huis.'
De butler en mevrouw Swart zijn er ook
bij komen staan.
Ze wisselen een blik.
'Gelijk hebt u!' roept
mevrouw Swart blij.
'Wat een verstandig
besluit.'

Jan wordt wakker.
Buiten stormt het nog steeds.
De regen slaat tegen de ramen.
Hij wil weer diep onder de dekens kruipen.
Maar dan moet hij weer aan vannacht
denken.
Hij schiet overeind.
Vandaag willen zijn buren vertrekken.
Hij moet er een stokje voor steken.
Maar hoe?
Jan stapt uit zijn bed.
Hij loopt op en neer in de kamer.
Zo kan hij het beste nadenken.
Maar hij weet helemaal niks te
verzinnen.
Hij blijft voor de grote spiegel in zijn
kamer stilstaan.
Hij kijkt naar zichzelf.
Hé, wat is dat?
Jan loopt dichter naar de
spiegel toe.
Aan de zijkant steekt iets uit.
Het lijkt wel een briefje.
Was dat daar al die tijd?
Het was hem nog niet
opgevallen.
Hij pakt het briefje en
maakt het open.
Dan begint hij te lezen.

Beste Jan,

Nog bedankt dat je me hebt gered.
Je hebt jezelf verraden door dat stukje
blauwe stof.
Ik weet voor honderd procent zeker dat
jij het was.
Je moet me snel uitleggen hoe je in dat
harnas kan vliegen.
Want daar begrijp ik niks van.
Ik zei je al dat het niet pluis is in het
kasteel.
Maar de butler liet me niet uitspreken.
Misschien kunnen we met elkaar afspreken.
Ik kan je van alles vertellen.
Duw op de lijst van de spiegel.
Dan gaat hij open.
In het kasteel is een geheim gangenstelsel.
Dat heb ik ontdekt.
Loop de geheime gang in.
Daarna moet je alle trappen omhoog.
Dan kom je in de torenkamer.

Meike

Jan kijkt om zich heen.
In zijn kamer hangen gelukkig geen
camera's.
Hij drukt op de lijst van de spiegel.
Langzaam draait die open.
Jans mond valt open van verbazing.

Achter de spiegel is inderdaad een gang.
Terwijl hij daar staat, verzint hij een plan.
Zodat de Stromboli's niet vertrekken.
Dit kasteel gaat een echt spookkasteel
worden.
Jan gaat op zijn bed zitten.
Uit zijn tas pakt hij een schriftje.
Dan begint hij een brief te schrijven.

Aan de heer en mevrouw Stromboli.
Dit is een Waarschuwing!

Wij, de spokgeesten, hebben Jan
ontvoerd. Neem geen contact op
met de politie, Spokenjaagers
of geestuitdrijvers. In dat
geval nemen we hem voor altijd
mee naar het geesten rijk.
Hij zal verschimmelen en
vergruizen. Door ratten, muizen
en Schorpioenen worden
beknibbeld.
Misschien veronderen we hem
in een slijmzombie.
Blijf hier in het Kasteel.

Wacht op nadere berichten
De Woeste Wortel van
Groenesteijn.

Jan moet er zelf om lachen.
Worgel, het klinkt lekker griezelig.
Hij legt de brief op zijn kussen.
Dan kleedt hij zich snel aan.
Uit zijn tas pakt hij zijn zaklamp.
Wat goed dat zijn moeder die erin had
gedaan.
Die komt nu mooi van pas.
Eerst doet hij zijn kamerdeur van het slot.
Daarna loopt hij naar de geopende spiegel.
En dan klimt hij door de lijst.
Jan haalt diep adem.
'Help!' schreeuwt hij. 'Help!'
Nog een keer roept hij om hulp.
Dan doet hij de spiegel dicht.
Nu maar afwachten wat er gaat gebeuren.
Het is er wel donker.
Hij knipt zijn zaklantaarn aan.
Een jaar geleden had hij dit nooit gedurfd.
Maar sinds hij superkracht heeft wel.
Nu is hij nergens meer bang voor.
Nou ja, voor één ding wel.
Dat ze ontdekken dat hij
superkracht heeft.
Daar moet hij voor uitkijken.
Hij hoort een deur opengaan.
Wie zullen dat zijn?
'Jan, waar ben je?'
Het is de stem van meneer
Stromboli.
Maar Jan houdt zich stil.

Zou meneer Stromboli de brief al hebben gevonden?
Hij hoort nu ook mevrouw Stromboli.
En de professor is ook in de kamer.
Aan zijn stem te horen, staat hij vlak bij de spiegel.
'Ik voel een spookaanwezigheid.
Mijn pendule trilt.'
'Ik tril ook,' zegt mevrouw Stromboli.
'Heb je al onder het bed gekeken?'
'Ja, maar daar is niets,' zegt meneer Stromboli.
Kijk op het kussen, wil Jan roepen.
'Daar!' zegt de professor ineens.
'Daar ligt een brief.'
Even is het stil.
Dan hoort Jan een harde gil.
Het is mevrouw Stromboli.
'Jan is ontvoerd!
Onze kleine, hulpeloze Jan.'
Ze moet eens weten, denkt Jan.
'Wat is er aan de hand?' hoort hij de butler vragen.
'Jan is ontvoerd,' antwoordt meneer Stromboli.
'We gaan niet weg voordat hij terug is.'
'Weet u dat wel zeker?' zegt mevrouw Swart.
Ze is zeker op het gegil afgekomen.
'Zo zeker als wat,' zegt mevrouw Stromboli.

'Geen spook houdt mij tegen.
We laten Jan niet alleen achter.'
Jan knikt achter het schilderij.
'Mooi,' fluistert hij zachtjes.
Hij richt zijn zaklantaarn op de gang.
Eerst de donkere gangen maar eens
verkennen.
Het grote spookavontuur gaat beginnen.

15 De torenkamer

Jan heeft al twee trappen op gelopen.
Nu is hij weer in een gang.
Hij heeft geen idee waar hij is.
Voetje voor voetje schuifelt hij verder.
Hij gaat even zitten.
Opeens hoort hij stemmen.
Het zijn de butler en mevrouw Swart.
Jan legt zijn oor tegen de muur.
'Ik weet nergens van,' zegt de butler.
'Natuurlijk heb ik die jongen niet ontvoerd.
Waarom zou ik dat doen?'
'Omdat je een valserik bent,' antwoordt
mevrouw Swart.
'Wat je zegt ben je zelf!' roept de butler.
'We zijn mooi de pineut,' zegt mevrouw
Swart.
'Dat mislukte circusechtpaar gaat nooit
meer weg.
Daar gaat ons kasteel.'
Ze zucht.
'Waar zou dat ettertje zijn?' vraagt de
butler.
'Weet jij het, dan weet ik het ook,' zegt
mevrouw Swart.
'Nog een paar dagen en dan is dat kasteel
van hen.
Er moet iets gebeuren.
Misschien vanavond weer de vrouw
zonder hoofd?'

Jan houdt zijn adem in.
De butler grinnikt.
'Wat dacht je van het sprekende schilderij?
Of van Alwina de huisklopgeest?
We gaan het nog druk krijgen.
Maar eerst moeten we dat jochie opsporen.
Ik vertrouw hem niet.
Het is net alsof hij meer weet.'
'Ik haat kinderen,' mompelt mevrouw
Swart.
'Er moet echt iets gebeuren.
Anders loopt het volledig uit de hand.'
'Waar heb je de vrouw zonder hoofd?'
vraagt de butler.
'In de voorraadkast naast de keuken,' zegt
de huishoudster.
'Daar krijgen we mevrouw Stromboli wel
mee plat.
Dat overleeft ze niet een tweede keer.
Neem van mij aan: die gaat rennend naar
huis.
Echt waar, die wacht niet eens op haar
man.'
Ze lachen allebei gemeen.
Jan hoort ze weglopen.
Hij staat op en gaat weer verder.
Het is heel donker in de gangen.
Hij is blij met zijn zaklamp.
In gedachten bedankt hij zijn moeder.
Jan loopt nu een trap op.
Er komt geen eind aan.

Zou aan het eind de
torenkamer zijn?
Hij hijgt als hij de
steile trap op gaat.
'Boehoe!' hoort hij
opeens.
Jan drukt zich zo
plat mogelijk tegen
de muur.
Nee hè, toch geen
zombie?
'Je schrok, hè?' zegt
een meisjesstem.
Jan kijkt naar boven.
Daar is Meike.
Jan loopt de laatste
treden op.
Bovenaan is een
enorme deur.
Er zitten grendels en
grote sloten op.
'De geheime kamer,'
vertelt Meike.
Ze schuift de grendels
open en maakt de sloten los.
Ze komen in een hoge ruimte met
balken.
Het plafond eindigt in een punt.
Jan kijkt zijn ogen uit.
In het midden van de kamer staat
een enorme wereldbol.

Bij het raam staat een telescoop.
'De oude Massimo hield van sterren
kijken,' zegt Meike.
'En van dieren...' zegt Jan.
Hij wijst naar de opgezette dieren om
hen heen.
'Nou ja, dode dieren dan.'
Meike gaat op een stoel zitten.
Dan begint ze te vertellen.

'Deze kamer is de torenkamer,' vertelt
Meike.
'Het was vroeger een gevangenis.
Als je hierin zat, kwam je nooit meer
vrij.'
'Wanneer was dat?' vraagt Jan.
'In de middeleeuwen,' antwoordt Meike.
'Toen zijn ook die geheime gangen
gemaakt.
Om te kunnen schuilen bij een aanval.
Als je de weg niet wist, verdwaalde je.
Sommige mensen zijn hier doodgegaan.
Die spoken hier nog altijd rond.
Niemand wist meer van het bestaan van
de gangen.
Zelfs de oom van je tante niet.
Ik had een boek uit de bibliotheek
meegenomen.'
Meike ziet Jans verbaasde blik.
'Beneden is een grote kamer vol met
boeken,' legt ze uit.

'Daar heb ik het gevonden.'
Ze vertelt verder.
'In het boek zat een plattegrond van
die gangen.
En een schatkaart.'
Jan luistert met open mond.
'Een schat?' vraagt hij.
Meike knikt.
'Daar was ik naar op zoek toen je me
redde.'
'Wat heeft het paard met die schat te
maken?' vraagt Jan.
'Dat zal ik je vertellen,' zegt Meike.
'De geheime gangen beginnen in de
stallen.
Via een tunnel kom je in het kasteel.
Ik was bezig de gangen te verkennen.
Maar toen ik terug wilde, kon ik de
uitgang niet vinden.
Mijn zaklamp was leeg en ik werd
bang.
Ik trapte tegen een houten wand.
Dat bleek een luik te zijn.
Ik denk dat die nog van vroeger
was.'
'Gelukkig,' zegt Jan.
Meike haalt even adem.
'Toen ik er een trap tegen gaf ging
het luik open.
Ik viel naar beneden.
Ik dacht dat ik in de tunnel zat.

Maar ik kwam uit op de zolder van de stal.
Onder het luik stond Storm.
Ik landde op zijn rug.
Hoe het kwam, weet ik niet.
Maar de staldeur stond open.
Storm schrok zich rot.
Hij rukte zich los.
En toen...
Toen ging hij ervandoor.
De rest weet je.
Je hebt mij gered.'
Jan slikt.
'Als ik nou zeg dat het niet zo is.'
Meike laat het stukje blauwe stof zien.
'Dat zegt niets,' zegt Jan.
'Er zijn wel meer mensen met een blauw jack.'
Meike schudt haar hoofd.
'Jij was de enige die een blauw jack aanhad.
En je probeerde een gat in je mouw te verbergen.
Eén en één is twee.
Ben jij een buitenaards monster?'
Jan voelt dat hij een kleur krijgt.
'Alsjeblieft niet,' zegt hij.
Jan merkt dat Meike nogal zeker van haar zaak is.
Hij zucht.
Hij kan haar maar beter alles vertellen.

'Het komt door een wens die ik heb
gedaan.
Op de avond voor mijn achtste
verjaardag.
Vanaf dat moment heb ik superkracht.
Maar alleen als iemand in nood is.
Anders niet.'
'Best wel handig,' vindt Meike.
Jan knikt.
'De butler en de huishoudster spoken iets
uit,' zegt hij dan.
'Ze willen de Stromboli's wegjagen.
Dan is het kasteel van hen.'
'Hoe weet je dat?' vraagt Meike.
'Ik heb ze afgeluisterd,' zegt Jan.
'De notaris zit ook in het complot.
Ze willen hier een pretpark beginnen.'
Meike kijkt hem met grote ogen aan.
'Vandaar dat ze mijn vader hebben
ontslagen.
Ze willen vast geen pottenkijkers.'
Jan knikt.
'Zullen we die oplichters een lesje
leren?'
'Goed idee,' zegt Meike.
'Daarna zoeken we de schat.'
'Afgesproken,' zegt Jan.
'Heb je al een plan?' vraagt ze.
'Nog niet helemaal,' antwoordt hij.
Hij vertelt Meike over de brief die hij
heeft geschreven.

'We hebben dus even de tijd om iets te bedenken,' zegt hij.
'De Stromboli's gaan niet weg zonder mij.'

17 *Het staat in de sterren geschreven*

Jan en Meike zitten aan tafel.
Ze kijken naar een kaart.
Het lijkt op een wereldkaart.
Middenin is een grote wereldbol
getekend.
Er staat een klein gedichtje bij.

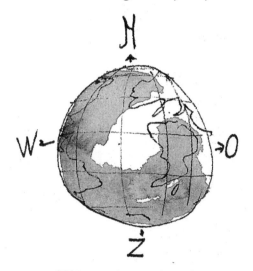

Wie de kaart kan lezen,
weet waar hij moet wezen.
Het staat in de sterren geschreven,
waar de schat is gebleven.
Hemel en aarde, hemel en aarde.
Zeg me wie de schat bewaarde.

Jan houdt de kaart ondersteboven.
Hij houdt hem tegen het licht.
Maar er is niets te zien.

Geen enkele aanwijzing.
Meike zucht.
'Zelfs als je buurvrouw het kasteel erft,
moet ze het toch verkopen.
Het staat op instorten.'
Maar Jan is niet van plan het op te
geven.
Hij wijst naar de tekens om de wereldbol.
'Dat zijn de tekens van de dierenriem,'
zegt hij.
'Op school hebben we er een boek over.'
Jan leest het eerste deel van het versje nog
eens.

> Wie de kaart kan lezen,
> weet waar hij moet wezen.
> Het staat in de sterren geschreven,
> waar de schat is gebleven.

'De tekens van de dierenriem zijn vast een
aanwijzing,' zegt hij.
Meike kijkt hem peinzend aan.
'In de bibliotheek heb ik die tekens ook
gezien.
Zou de schat daar ergens liggen?'
Jan denkt na.
Zou het zo makkelijk zijn?
Hij kijkt nog een keer goed naar de kaart.
Maar hij wordt er niet veel wijzer van.
'Laten we inderdaad in de bibliotheek
gaan zoeken.'

'Dat zal niet gaan,' zegt Meike.
'Er hangen daar camera's.
Die butler en mevrouw Swart houden
alles in de gaten.
Ze zitten vast en zeker in de tv-kamer.
Daar kunnen ze het hele kasteel
bespioneren.'
'Dus ook de bibliotheek?' vraagt Jan.
'Ja,' zegt Meike somber.
Jan begint te lachen.
'Ik geloof dat ik een idee heb.'
'Wat dan?' vraagt Meike.
'Luister goed,' zegt Jan.
'We gaan de oplichters tegen elkaar
opzetten.'

'De butler, mevrouw Swart en de notaris.
Vanavond lokken we ze naar de
bibliotheek.
Ze krijgen dan ruzie met elkaar.
Wij gaan in de tv-kamer zitten.
Daar nemen we hun gesprek op.
Dat laten we aan de Stromboli's zien.
En daarna aan de politie.'
'Denk je dat het zo makkelijk gaat?'
vraagt Meike.
Jan schudt zijn hoofd.
'Natuurlijk niet.
Dat moeten we heel goed voorbereiden.'
'Hoe dan?' vraagt Meike.
'Dat ga ik je nu vertellen,' zegt Jan.

18 Het plan

Meike en Jan zitten voor het raam.
'We missen nog één ding,' zegt Jan.
'Wat dan?' vraagt Meike.
'Een telefoon,' antwoordt Jan.

Meike springt op en loopt naar de tafel.
Ze haalt iets uit haar tas.
'Tatata!' roept ze trots.
In haar hand houdt ze een mobieltje.
'Van mijn vader.
Ik heb het voor de zekerheid meegenomen.
Stel dat ik de schat zou vinden!'
'Geweldig!' roept Jan.
'Dan kan het plan doorgaan.'
'Ik ben benieuwd,' zegt Meike.
'We hebben het telefoonnummer van de
notaris nodig,' vertelt Jan.
Meike belt nummerinformatie.
Ze schrijft het telefoonnummer van de
notaris op.
'Wat wil je nou met dat nummer?' vraagt
ze.
'Wacht maar af,' zegt Jan.
'Zet het mobieltje maar op de luidspreker.'
Maaike doet wat Jan zegt.
Dan geeft ze het mobieltje aan Jan.
Jan toetst het nummer van de notaris in.
Het duurt even voordat er wordt
opgenomen.
'Met notaris Everhardt,' zegt een
mannenstem.
Jan zet een zware, hese stem op.
'U spreekt met de butler.'
'Wat klink je raar,' zegt de notaris.
'Ik heb keelontsteking,' zegt Jan.
'En ik sta in een kast.

Mevrouw Swart mag me niet horen.
Ik heb iets ontdekt.
Ze probeert ons te bedonderen.'
'Hoe dan?' vraagt de notaris.
'Ze heeft dat jochie, die Jan, ontvoerd.
Hij heeft ontdekt dat er een schat is in
het kasteel.
Ze wil er met die schat vandoor.'
'Ik wist wel dat ze niet te vertrouwen
was,' zegt de notaris.
'En daarna zeker de politie bellen.
Zodat wij de schuld van de ontvoering
krijgen.
Maar dat gaat mooi niet
door!'
Dat laatste schreeuwt de
notaris in de telefoon.
Jan houdt het mobieltje van
zijn oor.
Meike steekt haar vingers in
haar oren.
'Ik kom nu naar het kasteel!'
roept de notaris.
'Nee, we moeten haar
betrappen,' zegt Jan.
'Ik heb al een plan bedacht.
Kom vannacht om twaalf uur
naar de bibliotheek.
Dan zullen we haar
ontmaskeren.'
Jan hangt op.

Meike kijkt hem aan.
'Hoe krijg je de butler en mevrouw Swart
in de bibliotheek?'
Jan zwaait met het mobieltje.
'Gewoon bellen, net zo makkelijk.
Heb jij hun telefoonnummers?'
'Ja, ze staan in het mobieltje,' zegt Meike.
'Onder contacten.'
Jan zoekt de nummers op.
Hij belt eerst mevrouw Swart.
Hij zet het mobieltje weer op de
luidspreker.
'Met mevrouw Swart.'
'U spreekt met notaris Everhardt.
Sorry dat ik zo onduidelijk spreek.
Ik heb erge keelontsteking.
U moet de butler in de gaten houden.'
'Hoezo?' vraagt mevrouw Swart
argwanend.
'Ik heb nu niet veel tijd,' zegt Jan.
'Maar de butler is niet te vertrouwen.
Kom vanavond om twaalf uur naar de
bibliotheek.
Daar zal ik alles uitleggen.
En denk erom: zeg niks tegen de butler.
Goedemiddag!'
Jan hangt gauw op.
Nu belt hij de butler op.
Jan doet weer alsof hij de notaris is.
Hij waarschuwt de butler voor mevrouw
Swart.

Ook de butler moet om twaalf uur naar de bibliotheek komen.
Dan beëindigt Jan het gesprek.
'Het zal mij benieuwen,' zegt Meike.
'Mij ook,' zegt Jan.
'Het enige wat we nu nog kunnen doen is wachten.
Totdat het middernacht is.'

19 Het gaat bijna mis

Op de grote klok in de hal is het elf uur
's avonds.
Jan en Meike sluipen door de geheime
gang.
Ze gaan naar de tv-kamer.
Daar is ook een geheime deur.
Achter een groot schilderij met bloemen.
Het is best donker in de gang.
Zelfs met de zaklamp aan.
Af en toe horen ze iets.
'Mummies,' fluistert Meike.
'Duizenden jaren oud.
Ze zijn op zoek naar vers bloed.'
'Geloof het zelf,' zegt Jan.
Ze komen bij de tv-kamer.

Hele enge
bloeddorstige
mummie
(geh op jongens v.
8 jaar oud)

Ze luisteren eerst of er iemand is.
Als de kust veilig is, gaan ze naar binnen.
Jan kijkt vol verbazing rond.
Een wand van de kamer hangt vol met
tv-schermen.
Meike en Jan gaan achter een paneel met
knoppen zitten.
Op een van de schermen zien ze de butler.
Hij zit in de keuken.
Jan zet het geluid aan.
De deur gaat open.
Het is mevrouw Swart.
'Waar was je?' vraagt de butler.
'Waarom wil je dat weten?' vraagt ze
wantrouwig.
'Zomaar, dat mag toch?'
'Ik kan het net zo goed aan jou vragen!'
De butler loopt de keuken uit.
'Waar ga je naartoe?' vraagt ze.
'Wat gaat jou dat aan,' zegt de butler.
Jan en Meike zien hem de gang in lopen.
Hij gaat de trap op.
Daarna loopt hij in de richting van de
tv-kamer.
'Vlug,' zegt Jan.
'Hij komt hierheen.
We moeten ons verstoppen, voordat hij
ons betrapt.'
Ze gaan gauw de geheime gang in.
Meike trekt het schilderij achter hen
dicht.

Maar ze laat een klein kiertje open.
De butler komt binnen en kijkt naar de
schermen.
Meike fluistert achter haar hand.
'Hij houdt vast mevrouw Swart in de
gaten.'
Jan knikt.
'Die vertrouwen elkaar niet meer.'
'Echt niet,' zegt Meike giechelend.

Jan kijkt op zijn horloge.
Het is bijna twaalf uur.
Ze zitten weer in de tv-kamer.
De butler is weggegaan.
Ze houden alle schermen in de gaten.
De notaris moet bijna komen.
'Kijk!' Jan wijst naar een scherm.
Een klein, dik mannetje komt het kasteel
binnen.

Op zijn tenen loopt hij naar boven.
Jan kan hem op alle schermen volgen.
Daar is de bibliotheek.
De notaris kijkt om zich heen.
Zijn hoofd draait als de kop van een
zenuwachtige kip.
Dan doet hij de deur van de bibliotheek
open.
Hij gaat naar binnen.
Op een ander scherm zien ze hem in de
bibliotheek staan.
Het is nu wachten op de butler en
mevrouw Swart.
Meike tikt op de schouder van Jan.
'Kijk nou eens,' zegt ze.
Op het andere scherm is de professor te
zien.
Hij houdt zijn spookpendule vast.
'Nee, hè,' zegt Jan.
'Wat doet hij daar nou?'
De professor houdt een brandende kaars
vast.
Hij ziet er nu zelf uit als een spook.
De zuigmachine had hem zo opgezogen.
Hij loopt in de richting van de
bibliotheek.
Voor de deur houdt hij halt.
Zijn pendule begint hevig te slingeren.
Dan gooit hij ineens de deur open.
Jan drukt op een rode knop.
OPNAME, staat erbij.

Ze horen de notaris praten.
'Wat komt u hier doen?'
'Wat bedoelt u?' vraagt de professor.
'Ik ben ingehuurd.
Om de spoken te verdrijven.'
'Kan dat niet morgen?' vraagt de notaris.
'Een spook kent geen tijd.
Spoken komen en gaan.
Ik peins er niet over om weg te gaan.
Mijn pendule liegt nooit.
Zie hem slingeren.
Vlakbij moet een spook zijn.'
'Waar dan?' zegt de notaris.
'Ik zie helemaal niks.'
Terwijl de professor naar spoken zoekt,
trekt de notaris een koord van het
gordijn.

Wat is de notaris van plan?
Straks komen de butler en mevrouw
Swart.
Jan slikt.
Het hele plannetje dreigt te mislukken.
Allemaal door die stomme professor.
Wat gebeurt er nu?
De notaris werpt de professor op de
vloer.
Dan neemt hij hem in de houdgreep.
Hij bindt hem vast met het gordijnkoord.
En hij propt een sjaal in zijn mond.
De professor kijkt de notaris met grote,
angstige ogen aan.
De notaris duwt hem in een kast.
Net op tijd, ziet Jan.
Want in de gang loopt de butler.
Die komt nu ook de bibliotheek in.
Daar loopt mevrouw Swart de krakende
trap op.
Het feest kan beginnen.

20 De Woeste Worgel van Groenesteijn

Jan en Meike kijken ademloos naar de
tv-schermen.
Ze hebben nog nooit zoveel
scheldwoorden gehoord.
En ook nog nooit zoveel nieuwe
scheldwoorden.
Vooral mevrouw Swart kan er wat van.
Ze lijken alle drie even adem te halen.
Dan beginnen ze weer te schreeuwen.
Over het kasteel.
Over het wegjagen van de Stromboli's.
De spoken die ze hebben verzonnen.
Het vervalsen van het testament.
Jan neemt alles op.
Dan ziet hij de deur van de bibliotheek
opengaan.
Meike ziet het ook.
Het is mevrouw Stromboli.
Wat moet die nou weer hier? denkt Jan.
Dit gaat helemaal fout!
'Wat is hier aan de hand?' vraagt
mevrouw Stromboli.
'Ik werd wakker van geschreeuw.'
Mevrouw Swart loopt naar haar toe.
'Er is helemaal niks aan de hand.
Gaat u maar rustig slapen.'
'Ik weet zeker dat ik geschreeuw hoorde,'
zegt mevrouw Stromboli.
'Hé, wat is dat?'

Ze kijkt naar de kastdeur.
Erachter klinkt gekreun.
'Er zit iemand in!' gilt ze ontzet.
Jan ziet dat ze ernaartoe wil lopen.
Op dat moment vliegt de kastdeur open.
De professor, gewikkeld in touwen, rolt
eruit.
Mevrouw Stromboli begint te gillen.
Ze maakt het geluid van een brandalarm.
De butler probeert haar de mond te
snoeren.

Mevrouw Swart probeert haar vast te
binden.
'Help!' gilt mevrouw Stromboli.
Meneer Stromboli komt er nu ook
aangerend.
De notaris springt op zijn rug.
'Help!' gilt ook meneer Stromboli.
Jan voelt zich sterk worden.
Zijn buren zijn in nood!
Super Jan moet in actie komen.

'Kom, we moeten helpen!' zegt hij tegen
Meike.
'Klim op mijn rug.'
'Wacht even,' zegt Meike.
'Hoe vermommen we ons dan?'
'Jij als vrouw zonder hoofd.
Ik als ridder.'

Meike zit op de rug van Jan.
Uit de voorraadkast heeft ze de
vermomming gehaald.
Zelfs Jan moet ervan griezelen.
Ze ziet er echt heel eng uit.
Jan heeft zich in het harnas gewurmd.
Ze schieten de lucht in.
'Begin maar te gillen,' zegt Jan tegen
Meike.
Jan geeft een brul.
Het lijkt op het geluid van een
straalvliegtuig.
Ze vliegen naar boven.
Het spookuurtje is begonnen.
Ze vliegen de bibliotheek in.
'Hier komt de Woeste Worgel van
Groenesteijn!' roept Jan.
Meike gilt als een gillende keukenmeid.
'De Woeste Worgel!' schreeuwt ze.
'De Woeste Worgel
is een gorgel.
Brulboei morgel.
En borgel.'

De butler, mevrouw Swart en de notaris
willen wegrennen.
Maar Jan duikt naar beneden.
Hij pakt ze alle drie bij hun kraag.
Hij vliegt rondjes met ze in de
bibliotheek.
Dan hangt hij ze aan de kroonluchter.
Daar hangen ze als jassen aan een
kapstok.
Ze zien lijkbleek.
Jan geeft de kroonluchter een zetje.
Die draait als het rad van fortuin rond.
Nu landt Jan op de grond.
De kroonluchter begint te kraken.

'Help ons,' piept mevrouw Swart.
'Altijd met twee woorden spreken!' gilt
Meike.
'Alsjeblieft, alsjeblieft,' kreunt mevrouw
Swart gauw.
Jan tilt ze van de kroonluchter.
Hij zet ze op de grond.
Jan en Meike binden hen vast en stoppen
een doek in hun mond.
Meneer Stromboli en mevrouw
Stromboli zijn allebei flauwgevallen.
De professor is nog steeds als een rollade
ingesnoerd.
'Niet opeten,' kreunt hij.
'Heb medelijden.'

'Grrrrrr,' zegt Jan dreigend.
'Alleen als je de spoken met rust laat.'
'I-i-is goed,' stamelt de professor.
'Ik kan toch geen spook meer zien.'
Jan geeft Meike een seintje.
'Klaar voor vertrek,' fluistert hij.
Meike stapt op zijn rug.
Ze vliegen nog een rondje.
Ook langs de kroonluchter.
Ineens valt Jan iets op.
De bol onder de kroonluchter heeft de
vorm van een wereldbol.
Die hangt recht boven een cirkel op de
vloer.
In die cirkel staan de tekens van de
dierenriem.
Is daar ergens de schat te vinden?
Tijd om ernaar te kijken heeft Jan niet.
Ze moeten weg, voordat zijn superkracht
afneemt.
Na een laatste rondje vliegen ze de
bibliotheek uit.

21 Een echte Super Jan!

Jan staat met Meike in de bibliotheek.
Ze zijn niet meer verkleed.
De Stromboli's komen langzaam bij
kennis.
Mevrouw Stromboli ziet Jan.
'Je bent weer vrij,' kreunt ze blij.
Ze knijpt hem bijna fijn.
'Wat zul je bang zijn geweest.
Maar er is je ook veel bespaard.
Dit kasteel zit vol spoken en monsters.
We zijn door een hel gegaan.
Er vloog een ridder rond.
En een vrouw zonder hoofd.'
Meneer Stromboli knikt.
'Het eiland Stromboli is minder
gevaarlijk.'
'Ik moet iets bekennen,' zegt Jan.
'Die ontvoering was niet echt.
Meike en ik hebben het bedacht.'
Jan vertelt over de geheime gangen.
En over het plan van de oplichters.
Dat ze de Stromboli's bang wilden maken.
Zodat ze zouden vertrekken.
Dan erfden de butler en mevrouw Swart
het kasteel.
Meike kijkt naar de notaris.
'Hij zat ook in het complot.
We hebben ze naar de bibliotheek gelokt.'
Meike wijst naar de camera's.

'Alles is opgenomen.'
Meneer Stromboli klopt Jan op zijn rug.
'Je bent geen gewone Jan,' zegt hij.
'Je bent een echte Super Jan.'
'Dank u wel,' zegt Jan verlegen.
'Maar die spoken dan?' vraagt mevrouw
Stromboli.
'We hebben ze echt gezien.'
Meneer Stromboli knikt.
'Hebben jullie ze niet gezien?'
Jan schudt zijn hoofd.
'We zagen jullie om hulp roepen op de
tv-schermen.
Toen zijn we helemaal van boven naar
beneden gerend.'
'Ja,' zegt Meike.
'Toen we beneden kwamen, waren zij al
vastgebonden.'
Meike kijkt triomfantelijk naar het
vastgebonden drietal.
Mevrouw Stromboli staat op.
'We hebben die spoken echt gezien.'
De professor komt erbij staan.
Meneer Stromboli heeft het koord losgemaakt.
'U hebt het toch ook gezien?' zegt meneer
Stromboli.
De professor schudt zijn hoofd.
Hij kijkt angstig om zich heen.
'Ik heb geen enkel spook gezien,' zegt hij
met trillende stem.
'Spoken bestaan niet.'

'Ja, maar...' stamelt mevrouw Stromboli.

'Wie hebben dan die bedriegers geboeid?'

'Ik had even een absentie,' zegt de professor.

'Een absentie?' roept meneer Stromboli.

De professor knikt.

'Ik was er met mijn gedachten even niet bij. Ik moet in coma zijn geraakt. Het is benauwd in zo'n kleine kast, hoor. Misschien hebt u ze zelf gevangengenomen?'

'Ik, wij?' vraagt mevrouw Stromboli verbaasd.

'Als je bang bent, kun je extra krachten krijgen,' zegt de professor.

Mevrouw Stromboli kijkt Jan vragend aan.

'Het zou zomaar kunnen,' zegt Jan.

Mevrouw Swart heeft de doek uit haar mond weten te krijgen.

'Het waren spoken!' gilt ze naar Jan.

Jan haalt zijn schouders op.

'Wie gelooft er nou een stelletje leugenaars?' zegt hij.

'Niemand,' antwoordt Meike.

De zon schijnt door het raam als Jan
wakker wordt.
Het duurde lang voordat de politie kwam.
Hij lag pas heel laat in bed.
Meneer en mevrouw Stromboli zitten al
aan het ontbijt.
Jan schuift als laatste aan.
Het gesprek gaat over gisteravond.
Ze raken er niet over uitgepraat.
Op tafel ligt een krant.
Meneer Stromboli leest het artikel op de
voorpagina voor.

De Morgenstond
Superkrachten

Van onze stadsredactie
Op kasteel Groenesteijn is gisteravond een einde gekomen aan een
wonderlijke zaak. Er zijn drie arres-
taties verricht. De butler D.S., de
notaris N.W. en de huishoudster
N.S. zijn aangehouden. Zij zouden
hebben geprobeerd het kasteel te
ontvreemden van de enige overge-
bleven wettige erfgename, mevrouw
Bevonia Stromboli, geboren Van
der Molen. Ze is de nicht van de
overleden kasteelheer Massimo
Fausto van der Molen. De project-
ontwikkelaar Graddus van der
Salm wordt nog ondervraagd over
zijn betrokkenheid.

De verdachten verklaarden gevangen te zijn genomen door spoken.
Deze zouden over superkrachten
beschikken. De woordvoerder van
de politie verwees dit naar het rijk
der fabelen. 'Ze verzinnen tegen-
woordig van alles om onder hun
straf uit te komen,' was zijn com-
mentaar.
Volgens een aan de krant verbon-
den deskundige komt dit vaker voor
bij daders. Dat ze de schuld geven
aan krachten van buiten. 'Spoken
komen echt alleen maar voor in
boeken, films, spookhuizen op de
kermis en in het hoofd van mensen
met een kinderlijke fantasie.'

Meneer Stromboli legt de krant op tafel.
Mevrouw Stromboli staat op.
'Ik wou dat we dit kasteel nooit hadden
gekregen.
We hebben geen geld om het te
onderhouden.
Wat moeten we ermee?'
Jan schuift onrustig op zijn stoel.
Hij wacht op Meike.
Er moet nog één ding worden opgelost.
Waar blijft ze toch?
Dan gaat de deur van de eetzaal open.
Daar is Meike.
Jan gaat staan.
'Meike en ik hebben nog iets anders
ontdekt.
Er is een schat verborgen in het kasteel.'
'Wat zeg je me nou?' roept meneer
Stromboli.
'Ik weet waar de schat is,' zegt Jan.
'In de bol onder de kroonluchter.'
'Schat?' vraagt mevrouw Stromboli.
'Waarom vertel je dat nu pas?'
'Omdat de schat geheim was,' zegt Jan.
'Die oplichters luisterden alles en
iedereen af.'

Ze staan in de bibliotheek.
Meike leest het versje nog een keertje
voor.

'Wie de kaart kan lezen,
weet waar hij moet wezen.
Het staat in de sterren geschreven,
waar de schat is gebleven.
Hemel en aarde, hemel en aarde.
Zeg me wie de schat bewaarde.'

Jan staat op een ladder.
'Ik durf niet te kijken,' zegt mevrouw
Stromboli.
'Stel dat je valt.'
Ze doet een hand voor haar ogen.
'Heb je al iets gevonden?' vraagt Meike.
Jan kijkt goed naar de bol.
'Volgens mij zit er een deksel op,' zegt hij.
Hij probeert eraan te draaien.
Er zit beweging in, merkt hij.
Het deksel lijkt losser te gaan zitten.
Opeens hoort hij een klik.
'Wat zullen we nu meemaken?' roept meneer
Stromboli.
'We draaien.'
De vloer begint inderdaad langzaam te
draaien, als de draaimolen op de kermis.
De ladder valt onder Jan weg.
Hij kan zich nog net aan de lamp
vastgrijpen.
De anderen moeten zich aan
elkaar vasthouden.
Anders vallen ze om.
In het midden van de vloer komt iets omhoog.

Het is een pilaar.
Er staat een kistje op.
De vloer is gestopt met draaien.
Even later staan ze allemaal om de
pilaar.
Wat zou erin zitten? denkt Jan.
Meike mag het kistje
openmaken.
Vol spanning kijken ze toe.
Maar het kistje is leeg.
'Jammer,' zegt mevrouw
Stromboli.
'Nu moet het kasteel toch
worden verkocht.'
'Wacht even,' zegt Meike.
'Ik hoor iets rammelen.
Er zit een dubbele bodem in.'
Ze houdt het kistje op zijn kop.
Dan valt de bodem eruit.
Er valt iets op de grond.
Het is een papiertje.
Meike rolt het open.
Er staat iets op geschreven.
Ze leest het voor.
'Wijsheid is de grootste rijkdom,
een schat voor hen die haar vinden.'
'Mooie schat,' verzucht meneer Stromboli.
'Daar repareer je geen lek dak mee, hè Jan?'
Meike kijkt sip.
Jan denkt na.
'Ik weet wat,' zegt hij langzaam.

'Als je een goed idee hebt...'
Hij haalt even adem.
'... kan dat net zo goed zijn als een echte schat.'
'Wat bedoel je?' vraagt mevrouw Stromboli.
'We maken er een hotel van,' zegt Jan.
'Met een lekkend dak?' vraagt Meike.
'Juist met een lekkend dak,' zegt Jan.
'We maken er een spookhotel van.
Spookhotel kasteel Groenesteijn.
Voor mensen die wat willen beleven.
Met dat geld kan het dak weer worden
gemaakt.'
Mevrouw Stromboli moppert.
'Ik heb genoeg van spookkastelen.'
Meneer Stromboli knikt.
'Ik ben er ook wel klaar mee.
Wie gaat dat dan doen?'
'Ik dacht aan de vader van Meike,' zegt Jan.
Daarna kijkt hij naar zijn buren.
Mevrouw Stromboli kijkt voor zich uit.
'Je doet geen kasteel weg dat je gekregen
hebt,' zegt ze dan.
'Goed, we proberen het.'
Meike juicht.
'Wat zal mijn vader blij zijn.
Dat hij weer kan werken op het kasteel.
Ik kan niet wachten om het hem te vertellen.'
Ze slaat Jan op zijn rug.
'Bedankt, Super Jan.'

23 Oost west, thuis best

Jan is weer thuis.
Ruben, Lotte en Jimmy staan om hem
heen.
'Wauw, een spookkasteel,' verzucht
Lotte.
'Jij boft maar!' roepen Jimmy en Ruben.
Jan heeft alles verteld.
Nou ja, niet alles.
Over het rondvliegen in een harnas niet.
Zijn vrienden mogen niet weten dat hij
nog steeds superkracht heeft.
Zijn vader en moeder komen in de tuin
staan.
In de verte pakken dikke regenwolken
zich samen.
'Regen, ach wat fijn,' zegt zijn vader.
'Eindelijk zitten we droog onder het
nieuwe dak.'
Jan knikt.
In het kasteel niet.
Maar dat komt ook wel goed.
Hij heeft een berichtje van Meike
gekregen.
Over drie weken gaat het spookhotel
open.
Er hebben zich al heel wat gasten
aangemeld.
Of hij een keer komt helpen spoken,
vroeg ze.

Jan heeft het gevraagd aan zijn vrienden.
Die hebben er ook wel zin in.
Lekker de gasten de stuipen op het lijf
jagen.
Meneer en mevrouw Stromboli gaan niet
mee.
Zij blijven liever thuis.

Jan ligt in bed.
Buiten slaat de kerkklok twaalf keer.
Jan kijkt door het open gordijn naar de
heldere hemel.
De regenwolken zijn overgedreven.
Er zijn geen vallende sterren vanavond.
Maar dat geeft niks.
Hij heeft even niets te wensen.
Dan valt hij in een diepe slaap.